CW00403671

Wët nom

Ajuiɛɛr de **K**uën **B**aai de **M**ïth (***AKBM***): aaye
ke gɔ̈ɔ̈r bï kë mïth ya kuɔny në kuën baai. Ke ɛ
Jiëëŋ piɔlic ago mïth ke ya kueen ke cïn anuaan.

AKBM aathiekiic të nɔŋ yïïn ke yï ye man de meth ku ye wun de meth. Na kɔɔr
bë mɛɛnhdu Thoŋdu ŋic, ke piɔ̈ɔ̈cië baai në yïn. Ye mɛɛnhdu jääm në Thoŋdu
baai. Ye mɛɛnhdu wɛɛi ku piɔ̈ɔ̈c cië bë ya jam, kuën ku gëër në Thoŋ de Jiëëŋ
baai. Acïn dët thiekic wär ye kënë tɔ̈u të dët. Raan ce jam në Thoŋ de man ke
wun acië thöl ya määr.

Ye thaa koor lööm në në nyindhia ba mɛɛnhdu guiëër yic thieek de Thoŋ de
Jiëëŋ. Yïn ke Dupiöny tueŋ de mɛɛnhdu. Na cï mɛɛnhdu piööc në Thoŋdu ku
kake pïïr kedhia, ke ŋic acïn raan dët bë ye piɔ̈ɔ̈c. Yic thieek de Thoŋdu ku ceŋ
de paandun aye mɛɛnhdu ke tïŋ ku piööc ke të nɔŋ yïïn. Na cï mɛɛnhdu piööc në
ceŋdu ku Thoŋdu, ke ŋic aca mɔ̈ɔ̈r ke däk kë yï nom. Yic thieek de raan në piny
nom, e gɔl në ceŋdu ku Thoŋdu.

Yïn ca leec arëtic

Manyaŋ e Deŋ

Köör ku Kuac

Ajuiɛɛr de Kuën Baai de Mïth (**AKBM**) are series of Dinka (Jiëëŋ) language kids' books. They are collections of simple Dinka (Jiëëŋ) kids' books put together with the aim of promoting Dinka (Jiëëŋ) literacy at homes and beyond. *AKBM* are written in simple Dinka (Jiëëŋ) and use pictorials to aid easy learning.

The lack of Dinka (Jiëëŋ) learning materials at homes is one of the factors responsible for poor Dinka (Jiëëŋ) literacy skills among the majority of Dinka children in diaspora. *AKBM* are aim at bridging this gap. Parents who are interested in their kids learning the Dinka (Jiëëŋ) language may find *AKBM* series very helpful.

Anyone willing to contribute to the *AKBM* kids' books series is very much welcome to do so. *AKBM* kids' books could be on any subject that is kids appropriate and with potential of promoting Dinka literacy. The *AKBM* must be written in simple Dinka and must be written in short sentences. The *AKBM* will prepare kids for more sophisticated writing and reading in Dinka.

Some of the pictures used for *AKBM* series were taken from public domain, and therefore not copy righted. They are still available for public use from the venues they were sorted from.

By Manyang Deng

Köör ku Kuac

Köör akat.
Köör ariŋ.
Köör athuny.
Köör akat arët.
Köör akat ke cië ŋeeny.
Köör akat ke γoi tueŋ.
Köör anɔŋ lën cop.
Köör akat ke daai në lën cop.
Köör acop aŋui.
Köör anɔŋ ater ke aŋui.
Aŋui akat ke cië riɔ̈ɔ̈c në köör.
Aŋui akat ke dhiaau.
Aŋui akat ke cië ye yɔl guaan.

Köör acië tɔc.
Köör acië tɔc piiny.
Köör acië tɔc të thöny.
Köör acië tɔc në thɔ̈ɔ̈ny nom.
Köör acië tɔc në tim thar.
Köör acië tɔc atiëpic.
Köör acië tɔc roor.
Köör alɔ̈ŋ.
Köör adaai.
Köör adaai në kɔc.
Köör adaai në läi.
Köör acië ye guɔ̈p päl piny.

Köör akääc.
Köör akääc në kuur nom.
Köör kääc adït.
Köör kääc aril.
Köör kääc abäär yɔl.
Köör kääc acï cɔk dɔm.
Köör akääc ye tök.
Köör kääc acië liec.
Köör kääc adaai.
Köör kääc aŋëm piny në läi.
Köör kääc atïŋ piny në läi.
Köör kääc acië läi tïŋ.

Köör acië yal.
Köör anëk reu.
Köör acï reu dɔm.
Köör acië yal arët.
Köör akɔɔr pïu bë dek.
Köör alɔ kiir bë lɔ dek.
Köör acië cop në pïu thook.
Köör adek pïu.
Köör adëk.
Köör acië dek.
Köör abë dek.
Köör alap pïu.

Köör ku Kuac

Köör acië dak.
Köör acië dhäär.
Köör acië tɔc bë nin.
Köör acië ye thok dhɔɔr.
Köör anin.
Köör acië nin.
Köör abë nin.
Köör abë pääc.
Köör acië ye nyin niɛɛn.
Köör acië nin arët.
Köör anin roor.
Köör acië pääc.

Köör acië ŋeeny.
Köör akääc kë cië ŋeeny.
Köör adaai ke cië ŋeeny.
Köör acië ye yɔl guaat piny.
Yɔl de köör acië piny gɔɔt.
Köör acië ye thok liep.
Köör acië ye lec ŋeeny.
Köör acië köör dët tïŋ.
Köör acië köör dët ŋëëny.
Köör aŋäär.
Köör aŋëër köör dët.
Köör acï kör në köör dët të ceŋ.

Köör acië thiaan.
Köör acië thiaan në nyuɔ̈ɔ̈nic.
Köör acië thiaan në tiimiic.
Köör acië thiaan në butic.
Köör acië thiaan roor.
Köör acië thiaan roor de cuɔl akɔ̈l.
Köör cië thiaan atö̈ nom bii.
Köör cië thiaan adaai.
Köör acië läi tïŋ.
Köör abuth läi.
Läi aa kën köör tïŋ.
Köör akɔɔr lën bë cam.
Köör anëk cɔk.

Köör anëk cɔk.
Köör acï cɔk dɔm.
Köör acië rïŋ yök.
Köör acuet rïŋ.
Köör acuet rïŋ në nyuɔ̈ɔ̈n nom.
Köör acuet rïŋ rokic.
Köör anyan rïŋ në ye liep.
Köör anyan rïŋ ke daai.
Köör anɔŋ kë dɛɛi yen.
Köör acuet rïŋ ke cië tɔ̈c.
Köör acuet rïŋ ye tök.
Köör acië kuɛth.

Köör ku Kuac

Köör arem yuɔɔm.
Köör arem yuɔɔm dït.
Köör arem yuɔɔm de miir.
Köör arem yuɔɔm ke cië tɔc.
Köör acië yuɔɔm dɔm në cöth.
Köör amuk yuɔɔm në cök tueŋ.
Köör arem yuɔɔm në kuur lɔ̈ɔ̈m.
Köör arem yuɔɔm në kuur thar.
Köör arem yuɔɔm në kuur yɔu.
Köör arem yuɔɔm në rɔt.
Köör rem yuɔɔm adït.
Köör rem yuɔɔm anɔŋ yeth nhïm.
Köör rem yuɔɔm acië yet yut.

Köör adaai.
Köör adaai ke cië ye thok liep.
Köör adaai ke cië ye röl ɣɔ̈ŋ.
Köör acië tɔc në tim thar.
Köör acï akɔ̈l nɔ̈k.
Köör acië tɔc atiëpic.
Köör acië dak.
Köör acië dhäär.
Köör acië tɔc piiny.
Köör alɔ̈ŋ në tim thar.
Köör acië ye guɔ̈p päl piny.
Köör acï reu dɔm.
Köör akɔɔr pïu bë dek.

Köör acath.
Köör acath ye tök.
Köör aciɛɛthwei.
Köör acië ye kɔu wël.
Köör acath amääth.
Köör acath e dhɔɔtdhɔɔt.
Köör acath ke cië ye guɔ̈p päl piny.
Köör acath roor.
Köör acath rokic.
Köör acath ke lɔ në nyuɔ̈ɔ̈nic.
Köör alɔ në tiimiic.
Köör acië guak.
Köör acië nɔl.
Köör acië ŋuɛɛt.

Kɔ̈ɔ̈r aa cië lɔ yäp.
Kɔ̈ɔ̈r aa yäp në pïu yiic.
Kɔ̈ɔ̈r aa yäp amoolic.
Kɔ̈ɔ̈r ayäp abooric.
Kɔ̈ɔ̈r aa cië anyaar yök.
Anyaar acië kɔ̈ɔ̈r tïŋ.
Anyaar acië kat.
Kɔ̈ɔ̈r aa cop anyaar.
Anyaar akat në pïu yiic.
Kɔ̈ɔ̈r aa cië anyaar dɔm.
Köör tök acië yɔɔt anyaar kɔu.
Köör tök atɔ̈ anyaar nom tueŋ.
Anyaar aböör.
Anyaar acië wïïk.
Kɔ̈ɔ̈r aa cië anyaar wiɛt piny.
Kɔ̈ɔ̈r aa cuet anyaar.

Köör ku Kuac

Köör akiu.
Köör akiu roor.
Köör akiu abë piny met e met.
Köör akiu abë piny mät e mät.
Köör akiu abë piny tieŋ e tieŋ.
Köör akiu abë piny lïtlït.
Köör akiu thëëi.
Köör akiu ke kääc.
Köör akiu abë tïŋ kuiɛl.
Köör akiu ke cïë ye nyin niɛɛn.
Kiu de köör aye piŋ të mec.
Kiu de köör e piny tieŋ.
Köör anɔŋ yeth nhïm juëc.

Köör acië dak.
Köör acië dhäär.
Köör acï nïn dɔm.
Köör acië ŋaam.
Köör acië ye nyin niɛɛn.
Köör aŋaam ke cïë tɔc.
Köör aŋaam ke tɔ piiny.
Köör acië ŋaam abë tïŋ liep.
Köör acië ŋaam abë tïŋ lec.
Köör acië ŋaam abë tïŋ kuiɛl.
Köör acië ye thok ŋäär nhial.
Köör atɔ roor.
Köör acië tɔc në tim thar rokic.

Köör arëër ke mïthke.
Köör acië tɔc ke mïthke.
Köör acië tɔc në nyuɔ́ɔn nom.
Mïth ke köör aa cië thuat.
Mïth ke köör aa cië cuet në rïŋ
Mïth ke köör aa cië kuɛth.
Mïth ke köör aa pol.
Mïth ke köör aa pol në man kɔ̈u.
Mïth ke köör aa cië yɔɔt në man kɔ̈u.
Mïth ke köör aa ye reu.
Köör acië tɔc.
Köör adaai.

Kɔ̈ɔr aa tɔ̈ roor.
Kɔ̈ɔr aa tɔ̈ rokic.
Kɔ̈ɔr aa tɔ̈ në mïth ken.
Kɔ̈ɔr aa tɔ̈ në mïth ke diäk.
Kɔ̈ɔr aa rëër në mïth ken.
Kɔ̈ɔr aa pol në mïth ken.
Kɔ̈ɔr aa pol në mïth ken.
Kɔ̈ɔr aa tiëët nyïn në mïth ken.
Mïth ke köör aa rëër në man.
Mïth ke köör aa rëër në wun.
Mïth ke köör aa cië cuet në rïŋ.
Mïth ke köör aa cië thuat.

Köör ku Kuac

Köör e län roor.
Köör e ceŋ roor.
Köör e pïïr rokic.
Köör e pïïr në dömic aya.
Köör aril.
Köör e län ril.
Köör e pïïr në rïŋ.
Köör ace nyuäth në wal.
Köör e nyin dëp wakɔu.

Köör anɔŋ nom.
Köör adït nom.
Köör anɔŋ nyïn ke reu.
Nyïn ke köör ayen ke daai.
Köör e piny tïŋ në nyïnke.
Köör e yith nhial.
Yïth ke köör atɔ në ye nom.
Nyïn ke köör atɔ në ye nom.
Wum de köör atɔ në ye nom.

Köör adït thok.
Köör anɔŋ thok lec.
Lec ke köör amoth.
Köör anɔŋ kuiɛl ke ŋuan.
Köör anɔŋ thok wil.
Köör anɔŋ yïth ke reu.
Yïth ke köör ayen ke piŋ.
Yïth ke köör akor.

Köör anɔŋ cök ke ŋuan.
Cök ke köör ayen ke cath.
Köör e cath në cök ke.
Köör e kat në cök ke.
Cök ke köör ayen ke kat.
Köör anɔŋ riööp moth.
Köör e lëi ŋuet në riööp.
Köör akït riööp ke aŋau.
Köör acït riööp kuac.

Köör ku Kuac

Köör adït agäu.
Köör adït nom.
Köör acek yeth.
Köör anɔŋ guɔ̈p nhïm.
Köör e cath ke läi.
Köör e läi biɔɔth.
Köör e pïïr në läi kɔ̈k.
Köör e pïïr në läi juëc.

Köör anɔŋ thar yɔ̈l.
Köör anɔŋ thar yɔ̈l bäär.
Yɔ̈l de köör ayen rɔt kuath.
Yɔ̈l de köör e ye kuɔny në kat.
Köör anɔŋ wum.
Köör e wëëi në wum.
Köör e yäp thëëi.
Köör e yäp wakɔ̈u.
Köör e yäp miäkduur.

Köör e läi juëc cam.
Köör e miir cam.
Köör e anyaar cam.
Köör e abiɔɔk cam.
Köör e amom cam.
Köör e piɔɔr cam.
Köör ace kil ye cam.
Köör e riɔɔc në kil.
Köör ace akɔɔn ye cam.
Köör e riɔɔc akɔɔn.
Kɔɔr aa ye miir dhuur.

Köör e maguar cam.
Köör e kul cam.
Köör e thiäŋ cam.
Köör e weŋ cam.
Köör e kɛɛu cam.
Köör e ŋɛɛr cam.
Köör e läi kɔk cam ye tök.
Kɔɔr aa ye läi kɔk cam në tök.
Kɔɔr aa ye anyaar keer.

Köör ku Kuac

Kuac acië yal.
Kuac anëk reu.
Kuac acï reu dɔm.
Kuac adëk në pïu.
Kuac adek pïu wïïr.
Kuac adëk.
Kuac acië dek.
Kuac abë dek.
Kuac adëk ke cië bop.
Kuac alap pïu.
Kuac alap pïu ke daai.
Kuac e pïu lap cië aŋau.
Kuac adëk agör thok.
Kuac adek pïu në wëër thok.
Kuac akën ye cök tääu në pïu yiic.

Kuac akat.
Kuac ariŋ.
Kuac athuny.
Kuac akat arët.
Kuac acië cök dëëtbei.
Kuac amor.
Kuac apiɔl.
Kuac anɔŋ awuur.
Kuac anɔŋ awuur juëc.
Kuac anɔŋ lën cop.
Kuac acop kɛɛu.
Kuac acop kɛɛu roor.
Kuac acop kɛɛu të cïn tiim.

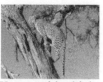

Kuac e yith nhial në tiim.
Kuac ayith nhial.
Kuac acië yith nhial.
Kuac abë yith nhial.
Kuac atɔ në tim nom ye tök.
Kuac acië yith nhial në tim.
Kuac akääc në tim kɔu.
Kuac atɔ në jäcic.
Kuac atïŋ piny në tim nom.
Kuac atïŋ piny në läi.
Kuac acië läi tïŋ të mec.
Kuac abë yith piny në tim nom.

Kuac acië dhäär.
Kuac acië dak.
Kuac acië ye yic ɣɛk në tim kɔu.
Kuac acië rɔt dhɔɔr në tim kɔu.
Kuac anin në tim kɔu.
Kuac acië nin në tim kɔu.
Kuac abë nin në tim kɔu.
Kuac anin ye tök.
Kuac anin roor.
Kuac anin në gääŋ akɔl.
Kuac anin aköl.
Kuac anin thëëi.
Kuac anin në tim cië riau kɔu.

Köör ku Kuac

Kuac ayäp roor.
Kuac ayäp ye tök.
Kuac ayäp në nyuɔ̈ɔ̈nic.
Kuac acië lëi tïŋ.
Kuac atuŋ lëi.
Kuac adhɔm lëi.
Lëi akën kuac tïŋ.
Kuac acath në nyuɔ̈ɔ̈nic.
Kuac acath amääth.
Kuac akuɛɛny ye cök.
Kuac e daai apieth wakɔu.
Kuany e nyin dëp wakɔu.

Kuac acië kɛɛu dɔm.
Kuac acië kɛɛu kac röl.
Kɛɛu acië kuac wec.
Kuac athel kɛɛu piiny.
Kuac e ayiëëp.
Kuac e yäp aköl.
Kuac e yäp thëëi.
Kuac e yäp në nyaany.
Kuac e yäp wakɔu.
Kuac e yäp miäk duur.
Kuac e yäp në durdur.
Kuac e yäp në läi kor.
Kuac e yäp në läi thööŋ röth.

Kuac anëk cɔk.
Kuac acië rïŋ yök.
Kuac acuët.
Kuac acuet rïŋ.
Kuac acuet rïŋ ke daai.
Kuac acuet rïŋ ke cië tɔ̈c.
Kuac acuet rïŋ ke cië ye yic ɣɛk piny.
Kuac acië rïŋ kac.
Kuac acië rïŋ kac në ye lec.
Kuac amoth lec.
Kuac acuet rïŋ ke cië tɔ̈c.
Kuac acuet rïŋ ke daai.
Kuac arem yuɔɔm.

Kuac akääc.
Kuac akääc ye tök.
Kuac akääc në tim thar.
Kuac akääc në tim cök.
Kuac akääc në cök ke.
Kuac akääc në cök ke ŋuan.
Kuac acië rɔt gɛi në tim.
Kuac acië ye yɔ̈l guaat piny.
Kuac amuk ye yɔ̈l piny.
Kuac adaai të mec.
Kuac anɔŋ kë cië tïŋ.
Kuac acië läi tïŋ.

Köör ku Kuac

Kuac e thiaan.
Ca kuany ciɛ̈ thiaan tïŋ?
Kuac ciɛ̈ thiaan aca tïŋ.
Kuac athiaan.
Kuac aciɛ̈ thiaan.
Kuac abɛ̈ thiaan.
Kuac aciɛ̈ thiaan nɛ̈ tulic.
Kuac e thiaan nɛ̈ ɣän juɛ̈c.
Kuac e thiaan nɛ̈ nyuɔ̈ɔ̈nic.
Kuac e thiaan nɛ̈ yɔ̈tic.
Kuac e thiaan nɛ̈ yuekic.
Kuac e thiaan nɛ̈ tim nom.
Kuac e thiaan nɛ̈ butic.

Kuac aŋaam.
Kuac aciɛ̈ ŋaam.
Kuac aciɛ̈ ŋaam arɛ̈t.
Kuac aciɛ̈ ye thok ŋäär nhial.
Kuac ariɛɛny.
Kuany aciɛ̈ riiny.
Kuac aŋaam ke ŋɛ̈ɛ̈r ye thok nhial.
Kuac aciɛ̈ ye nyin niɛɛn.
Kuac aciɛ̈ ŋaam abɛ̈ tïŋ kuiɛl.
Kuac aciɛ̈ ŋaam abɛ̈ tïŋ lec.
Kuac aciɛ̈ ŋaam abɛ̈ tïŋ liep.
Kuac ciɛ̈ ŋaam atɔ̈ rokic.
Kuac ciɛ̈ ŋaam atɔ̈ nɛ̈ nyuɔ̈ɔ̈nic.
Kuac ciɛ̈ ŋaam adït thok.

Kuac e kuaŋ.
Kuac e kuaŋ apieth.
Kuac e kuaŋ në ye cök.
Kuac akuaŋ.
Kuac acië kuaŋ.
Kuac abë kuaŋ.
Kuac anhiaar kuaŋ.
Kuac akuaŋ në pïu yiic.
Kuac akuaŋ kiir.
Kuac atem kiir ke kuaŋ.
Kuac akuaŋ ke tɔ̈ nom bii.
Kuac akuaŋ ke tɔ̈ e yɔ̈l thok bii.

Kuac arëër ke mɛɛnhde.
Kuac adaai ke mɛɛnhde.
Kuac atïŋ piny ke mɛɛnhde.
Kuac akääc ke mɛɛnhde.
Kuac acath ke mɛɛnhde.
Kuac atɔ̈ në rel nom ke mɛɛnhde.
Kuac atɔ̈ roor ke mɛɛnhde.
Kuac akat ke mɛɛnhde.
Kuac apol ke mɛɛnhde.
Mɛɛnh de kuac aŋot ke koor.
Mɛɛnh de kuac athuët.
Mɛɛnhde kuac acië thuat.
Mɛɛnh de kuac acuet rïŋ.
Mɛɛnh de kuac acië kuɛth.
Mɛɛnhde de kuac atɔ̈ në man lɔ̈ɔ̈m.

Köör ku Kuac

Kuac e lëi.
Kuac adhëŋ.
Kuac e lën dhëŋ.
Kuac e län roor.
Kuac e tɔ̈ në dömic aya.
Kuac aril.
Kuac e län thööŋ rɔt.
Kuac alɔ guɔ̈p kuac kuac.
Kuac e pïïr në rïŋ.
Kuac ace nyuäth në wal.
Kuac e yith nhial.
Kuac e miëth de lɛɛr në tim nom.

Kuac anɔŋ thar yɔ̈l.
Kuac anɔŋ thar yɔ̈l bäär.
Yɔ̈l de kuac ayen rɔt kuath.
Yɔ̈l de kuac e ye kuɔny në kat.
Kuac anɔŋ yïth ke reu.
Kuac e piŋ në yïth ke.
Kuac anɔŋ cök ke ŋuan.
Kuac anɔŋ cök riööp.
Riööp ke kuac amoth arët.
Riööp ke kuac ayen ke lëi ŋuet.
Riööp ke kuac aye kuɔny në yith nhial.

Kuac anɔŋ thok.
Kuac adït thok.
Kuac anɔŋ thok lec.
Kuac anɔŋ thok lec moth.
Kuac anɔŋ thok kuiɛl dït.
Kuac anɔŋ thok kuiɛl ke ŋuan.
Kuiɛl ke kuac ayen ke lëi dɔm.
Kuiɛl ke kuac ayen ke lëi muk aril.
Kuiɛl ke kuac aril.
Kuiɛl ke kuac amoth.
Kuac anɔŋ thok wil.
Kuac anɔŋ guɔ̈p nhïm.

Kuac e ceŋ roor.
Kuac e ceŋ të lääu.
Kuac e ceŋ të cïn tiim juëc.
Kuac e pïïr rokic.
Kuac anɔŋ nyïn ke reu.
Kuac e daai në nyïnke.
Kuac e piny tïŋ në nyïnke.
Kuac anɔŋ wum.
Kuac e ŋör në wum.
Kuac e wëëi në wum.
Kuac e yööc në wum.
Kuac e piny yɔɔc në wum.
Kuac e läi ŋör cök në wum.
Kuac e guɔ̈p mat ke të cen thiaan.

Köör ku Kuac

Kuac e cam në läi kor.
Kuac e cam në läi thööŋ röth.
Kuac e kɛɛu cam.
Kuac e ŋɛɛr cam.
Kuac e lɔɔ̈c cam.
Kuac e kul cam.
Kuac e thɔk cam.
Kuac e amääl cam.
Kuac e diɛt cam aya.
Kuac e wut cam.
Kuac e läi tuöŋ ku ciɛm ke.
Kuac e läi cop ku ciɛm ke.
Kuac e läi buuth ku ciɛm ke.

Kuac aruääi ke läi juëc.
Kuac athiääk ke läi juëc.
Kuac aruääi ke aŋau.
Kuac athiääk ke köör.
Kuac athiääk ke lony.
Kuac aruääi ke dhök.
Kuac akïrt kuiɛl ke köör.
Kuac acïrt riööp aŋau.
Kuac e riööp ke thiaan.
Köör e riööp ke thiaan.
Kuac ace piŋ cök të ciɛth yen.
Aŋau ace piŋ cök të ciɛth yen.

Kuëc wääc tɔ̈ në piny nom:

Kuac

Kuac

Kuac

Kuac

Kuac

Kuac

Akeer ke Thoŋ de Jiëëŋ

Aa	Ee	Ii	Oo	Uu
Ww	Yy	Bb	Pp	Mm
Dd	DHdh	Tt	THth	Ll
Nn	NHnh	Ŋŋ	NYny	Rr
Kk	Gg	Ɣɣ	Cc	Jj
		Ɛɛ: Ɔɔ		

Ää	Ëë	Ïi	Öö	Ɛ̈ɛ̈	Ɔ̈ɔ̈

Kuɛ̈n Akeer ke Thoŋ de Jiëëŋ

A	*E*	*I*	*O*	*U*
Akɔ̈ɔ̈n	*Weŋ*	*Biɔl*	*Rok*	*Agumut*

W	*Y*	*B*	*P*	*M*
Wut	*Yiëp*	*Baai*	*Pɛɛi*	*Miir*

N	*NH*	*Ŋ*	*NY*	*R*
Nɔk	*Nhiëër*	*Aŋau*	*Nyaŋ*	*Rɔu*

D	*DH*	*T*	*TH*	*L*
Dak	*Dhiëër*	*Tim*	*Thɔ̈rɔ̈t*	*Lok*

K	*G*	*Ɣ*	*C*	*J*
Kuac	*Gɔt*	*Ɣöt*	*Cuɔɔr*	*Jö*

Köör ku Kuac

AA	EE	II	OO	U
Amaar	*Teer*	*Tiim*	*Cool*	*Cuur*

Ä	Ë	Ï	Ö	Ë̈
Cäm	*Kuëi*	*Ajïth*	*Töny*	*Piën*

ÄÄ	ËË	ÏÏ	ÖÖ	Ë̈Ë̈
Amääl	*Rëët*	*Acuïl*	*Piööc*	*Wëër*

Ɛ	ƐƐ	Ɔ	Ɔ̈	ƆƆ
Diɛt	*Tiɛɛr*	*Piɔk*	*Akɔ̈l*	*Ayɔɔk*

Ɔ̈Ɔ̈
Acɔ̈ɔ̈m